W9-DGO-877

Eu, _____ , considero

você, _____ ,

uma pessoa insubstituível.
Sua capacidade de lutar
pela vida é fantástica.

A vida que pulsa em você
é mais importante que todo
o dinheiro do mundo e
mais bela do que todas
as estrelas do céu.

Você é Insubstituível

ESTE LIVRO REVELA
A SUA BIOGRAFIA.

AUGUSTO CURY

SEXTANTE

Copyright © Augusto Jorge Cury 2002

Revisão
Sérgio Bellinello Soares

Capa
Raul Fernandes

Projeto Gráfico e Diagramação
Valéria Facchini de Mendonça

Fotolitos
Mergulhar Serviços Editoriais Ltda.

Impressão e acabamento
Yangraf Gráfica e Editora Ltda.

Miolo impresso em Chamois Bulk Dunas 90g/m²

CIP-BRASIL. CATALOGAÇÃO-NA-FONTE
SINDICATO NACIONAL DOS EDITORES DE LIVROS, RJ.

C988v
    Cury, Augusto Jorge
       Você é insubstituível : este livro revela a sua biografia
    / Augusto Jorge Cury. – Rio de Janeiro : Sextante, 2002

       ISBN 85-7542-016-X

       1. Conduta. 2. Vida.
    I. Título.

02-0423.   CDD 158.1
                                          CDU 159.947

Todos os direitos reservados, no Brasil, por
Editora Sextante (GMT Editores Ltda.)
Rua Voluntários da Pátria, 45 – Gr. 1404 – Botafogo
22270-000 – Rio de Janeiro – RJ
Tel.: (21) 2286-9944 – Fax: (21) 2286-9244
Central de Atendimento: 0800-22-6306
E-mail: atendimento@esextante.com.br
www.esextante.com.br

PREFÁCIO

*E*ste livro fala do amor pela vida que habita em cada ser humano. Ele conta a sua biografia. Se até hoje sua história nunca foi contada em um livro, agora ela será, pelo menos em parte. Você descobrirá alguns fatos relevantes que o tornaram um dos maiores vencedores do mundo, dos mais corajosos dos seres, dos que mais cometeram loucuras de amor para poder estar vivo.

Talvez você não saiba, mas você foi

profundamente "apaixonado" pela vida desde que o relógio do tempo começou a registrar as fagulhas de sua existência. Não é tão simples viver a vida. Às vezes, ela contém capítulos imprevisíveis e inevitáveis. Mas é possível escrever os principais textos de nossas vidas nos momentos mais difíceis de nossa existência.

Augusto Cury

*T*odo ser humano passa por turbulências em sua vida. A alguns falta o pão na mesa; a outros, a alegria na alma. Uns lutam para sobreviver. Outros são ricos e abastados, mas mendigam o pão da tranqüilidade e da felicidade.

Que pão falta em sua vida?

$\mathcal{Q}$uando o homem explorar intensamente o pequeno átomo e o imenso espaço e disser que domina o mundo, quando conquistar as mais complexas tecnologias e disser que sabe tudo, então ele terá tempo para se voltar para dentro de si mesmo. Nesse momento descobrirá que cometeu um grande erro. Qual?

*C*ompreenderá que dominou o mundo de fora, mas não dominou o mundo de dentro, os imensos territórios da sua alma. Descobrirá que se tornou um gigante na ciência, mas que é um frágil menino que não sabe navegar nas águas da emoção e que desconhece os segredos que tecem a colcha de retalhos da sua inteligência.

Quando isso ocorrer, algo novo acontecerá. Ele encontrará pela segunda vez a sua maior invenção: a roda. A roda? Sim, só que dessa vez será a roda da emoção. Encontrando-a, ele percorrerá territórios pouco explorados e, por fim, encontrará o que sempre procurou: o amor, o amor pela vida e pelo Autor da vida.

*A*o aprender a amar, o homem derramará lágrimas não de tristeza, mas de alegria. Chorará não pelas guerras nem pelas injustiças, mas porque compreendeu que procurou a felicidade em todo o universo e não a encontrou. Perceberá que Deus a escondeu no único lugar em que ele não pensou em procurá-la: dentro de si mesmo.

$\mathcal{N}$esse dia, sua vida se encherá de significado e uma revolução silenciosa ocorrerá no âmago do seu espírito: a soberba dará lugar à simplicidade, o julgamento dará lugar ao respeito, a discriminação dará lugar à solidariedade, a insensatez dará lugar à sabedoria. Mas esse tempo ainda está distante. Por quê?

*P*orque nem sequer descobrimos que a pior miséria humana se encontra no solo da emoção. O homem sonha em viver dias felizes, mas não sabe conquistar a felicidade. Os poderosos tentaram dominá-la. Cercaram-na com exércitos, encurralaram-na com armas, pressionaram-na com suas vitórias. Mas a felicidade os deixou atônitos, pois nunca o poder conseguiu controlá-la.

Os magnatas tentaram comprá-la. Construíram impérios, amealharam fortunas, compraram jóias. Mas a felicidade os deixou perplexos, pois ela jamais se deixou vender e disse-lhes: "O sentido da vida se encontra num mercado onde não se usa dinheiro!" Por isso há miseráveis que moram em palácios e ricos que moram em casebres.

Os cientistas tentaram entender a felicidade. Pesquisaram-na, fizeram estatísticas, mas ela os confundiu, falando-lhes: "A lógica numérica jamais compreenderá a lógica da emoção!" Perturbados, descobriram que o mundo da emoção é indecifrável pelo mundo das idéias. Por isso, os cientistas que viveram uma vida exclusivamente lógica e rígida foram infelizes.

Os intelectuais buscaram a felicidade nos livros de filosofia, mas não a encontraram. Por quê? Porque há mais mistérios entre a emoção e a razão do que jamais sonhou a mente dos filósofos. Por isso, os pensadores que amaram o mundo das idéias e desprezaram o mundo da emoção perderam o encanto pela vida.

Os famosos tentaram seduzir a felicidade. Ofereceram em troca dela os aplausos, os autógrafos, o assédio da TV. Mas ela golpeou-os, dizendo: "Escondo-me no cerne das coisas simples!" Rejeitando o seu recado, muitos não trabalharam bem a fama. Perderam a singeleza da vida, se angustiaram e viveram a pior solidão: sentir-se só no meio da multidão.

Os jovens gritaram: "O prazer de viver nos pertence!" Fizeram festas e promoveram *shows,* alguns se drogaram e outros apreciaram viver perigosamente. Mas a felicidade chocou-os com seu discurso: "Eu não me encontro no prazer imediato, nem me revelo aos que desprezam seu futuro e as conseqüências dos seus atos!"

*A*lgumas pessoas creram que poderiam cultivar a felicidade em laboratório. Isolaram-se do mundo, baniram as pessoas complicadas de sua história e as dificuldades de sua vida. Gritaram: "Estamos livres de problemas!" Mas a felicidade sumiu e deixou-lhes um bilhete: "Eu aprecio o 'cheiro' de gente e cresço em meio aos transtornos da vida."

*P*or que muitos falharam em conquistar a felicidade? Porque quiseram o perfume das flores, mas não quiseram sujar suas mãos para cultivá-las; porque quiseram um lugar no pódio, mas desprezaram a labuta dos treinos. Precisamos aprender a navegar nas águas da emoção se quisermos ter qualidade de vida no mundo estressante em que vivemos.

O mundo da emoção não aceita atos heróicos tais como: "De hoje em diante acordarei bem-humorado", "Daqui para frente serei uma pessoa calma", "De agora em diante serei uma pessoa feliz, com alto astral e cheia de auto-estima". Grande engano! No calor da segunda-feira todas essas intenções se evaporam...

No mundo da emoção as palavras-chaves são "treinamento" e "educação". Você precisa treinar sua emoção para ser feliz. Você precisa educá-la para superar as perdas e as frustrações. Caso contrário, sua emoção nunca será estável e nem capaz de contemplar o belo nos pequenos eventos da rotina diária. Você contempla o belo?

*P*isou nesta Terra um excelente mestre da emoção.

Ele conseguia erguer os olhos e enxergar o belo num ambiente de pedras e areias. No auge da fama e sob intensa perseguição, ele fazia pausas e dizia: "Olhai os lírios do campo." Somente alguém plenamente feliz e em paz é capaz de gerenciar seus pensamentos e fazer de uma pequena flor um espetáculo aos seus olhos.

*E*ntretanto, muitos não conseguem ter prazer de viver. Eles estão desanimados e ansiosos. Por isso dizem: "A felicidade não existe. Ela é um sonho de homens que não acordam." Eles se sentem sem forças para superar seus pensamentos negativos e para vencer as batalhas do dia-a-dia. Alguns, apesar de não terem problemas exteriores, também perderam o sentido da vida.

A vida é belíssima, mas não é tão simples vivê-la. Às vezes, ela se parece com um imenso jardim. De repente, a paisagem muda e ela se apresenta árida como um deserto ou íngreme como as montanhas. Independentemente dos penhascos que temos de escalar, cada ser humano possui uma força incrível. E muitos desconhecem que a possuem.

$\mathcal{P}$ara provar isso, vou contar-lhe uma história real e impressionante de alguém que possui uma capacidade descomunal de lutar pela vida e que um dia foi o maior vencedor da Terra, o mais corajoso dos seres. Sabe quem? Você! Duvida? Deixe-me contar alguns fatos relevantes da sua biografia que talvez você desconheça!

*U*m dia você foi inscrito para participar do maior concurso do mundo, da maior corrida de todos os tempos. Acredite, você estava lá! Eram mais de quarenta milhões de concorrentes. Pense nesse número. Todos tinham potencial para vencer e só um venceria. Será que você era mais um número na multidão ou tinha algo especial?

*A*nalise quais seriam as suas chances. Zero, zero, zero, zero, zero, zero, zero, zero, quatro (0,000.000.04). Você nunca foi tão próximo de zero. Suas chances eram quase inexistentes. Tinha tudo para ser mais um derrotado, tinha todos os motivos para ser um grande perdedor. Qualquer um acharia loucura participar dessa corrida. Mas você participou e ainda achava que iria vencer.

*T*alvez fosse melhor desistir e se conformar com a derrota. Mas você era o ser mais teimoso do mundo, sua garra era incrível. Por isso jamais admitiu recuar. A palavra desistir não fazia parte do seu dicionário genético. Por quê? Porque, se perdesse essa corrida, perderia o maior prêmio da História. Qual?

A VIDA.

Que disputa era essa? A disputa do espermatozóide para fecundar o óvulo. A corrida pelo direito de formar uma vida. Talvez você nunca tenha imaginado, mas já participou da mais excitante e perigosa aventura da existência. Seria mil vezes mais fácil vencer as eleições para presidente de seu país. É incrível, mas você venceu! Como você conseguiu?

*S*eria também mais fácil ganhar dezenas de prêmios de melhor ator ou atriz. Você foi surpreendente! Sinto-me honrado em tê-lo como leitor. Mas cada ser humano não foi um vencedor? Sim! Contudo, esta é a sua biografia. Somente alguém com uma força descomunal como a sua poderia vencer uma corrida com milhões de concorrentes pisoteando-o, pressionando-o, ultrapassando-o.

*C*ontudo, hoje, os tempos mudaram. Se alguém pisa no seu pé, você perde a paciência. Se alguém o pressiona ou o critica, você se estressa e desespera. E se alguns concorrentes estão à sua frente, você desanima e tem insônia. Volte a suas origens! Naquela época nada o abalava. Quem o controlava era o sonho de estar vivo, não os seus problemas ou seus concorrentes.

*V*ocê foi um grande sonhador. Sonhou sem ter capacidade de sonhar. Sonhou, através do seu programa genético, com o espetáculo da vida. O que você pensou na grande corrida? Nada! Você ainda não pensava. O passo mais importante da vida foi dado na ausência das idéias. Você agiu antes de pensar. Entretanto, hoje você deve pensar antes de agir. Quem reage sem pensar atira sem pontaria.

Sem sonhos, a vida não tem brilho. Sem metas, os sonhos não têm alicerces. Sem prioridades, os sonhos não se tornam reais. Sonhe, trace metas, estabeleça prioridades e corra riscos para executar seus sonhos. Melhor é errar por tentar do que errar por se omitir! Não tenha medo dos tropeços da jornada. Não se esqueça de que você, ainda que incompleto, foi o maior aventureiro da História.

*V*amos analisar suas façanhas para conquistar o pódio da vida para que você fique plenamente consciente das batalhas que superou. Você sabia que foi o maior alpinista do planeta? Não? Vou contar a história sintética de dois grandes alpinistas que conquistaram o topo do mundo para mostrar-lhe que você foi o mais corajoso alpinista de todos os tempos.

$\mathcal{N}$a primavera de 1953 ocorreu um feito notável. Uma expedição internacional chegou ao Nepal com a grandiosa ambição de escalar o topo do mundo, o Everest. Eram 8.550 metros de altura. Uma façanha enorme! Um desafio dramático. A brancura do gelo vestia as montanhas e produzia medo e excitação no solo da emoção.

*M*uitos já haviam tentado. Alguns desistiram no meio do caminho, outros simplesmente morreram. Morreram congelados, soterrados pelas avalanches de gelo, por asfixia, devido ao ar rarefeito, ou pelo mal das montanhas, caracterizado por tontura, falta de ar, dor de cabeça, hemorragia nasal e até perda da consciência.

*D*ois homens simples, sem fama, mas extremamente ousados faziam parte da expedição: Edmund Hillary e Tenzing Norgay. Eles partiram para a glória ou para o caos. Era mais prudente desistir. Mas um projeto saturava a emoção deles. Se os seus projetos não saturarem a sua emoção, você não terá perseverança para executá-los.

O corpo esfriava e a alma tremia com medo de avalanches à medida que avançavam. Os pulmões estavam ofegantes. De repente, fatigados, chegaram a mais um topo. Seus olhos brilharam. Então descobriram que haviam chegado ao topo do mundo. Quando desceram, o mundo ficou sabendo da extraordinária conquista.

*T*odos ambicionam chegar ao topo de alguma coisa. Uns querem chegar ao topo da fama; outros, da eficiência profissional, da hierarquia acadêmica, do poder financeiro. Outros, mais sábios, almejam atingir o topo da qualidade de vida, o auge do sentido da vida, os patamares mais altos da tranqüilidade. Você quis chegar ao topo da vida.

A conquista do Everest por Hillary e Norgay foi um momento inesquecível. Mas, tenha convicção, você foi o maior alpinista do mundo. Naquela época sua capacidade de lutar era imensurável. Você era pequeníssimo, mas ousado. Hoje você é grande, mas sente-se pequeno. Por quê? Porque as barreiras o assustam e, às vezes, o paralisam.

*L*embre-se de que, comparando o tamanho do espermatozóide com as montanhas que teve que escalar dentro do útero de sua mãe para fecundar o óvulo, você escalou centenas de montes Everest. Nada podia detê-lo. Quando temos um grande sonho, nenhum obstáculo é grande demais para ser superado.

*T*odavia, é possível que, hoje, você veja seus obstáculos e tenha se tornado um especialista em reclamar e não em agradecer. Por isso, não consegue deixar de falar da crise financeira, das pessoas que o machucam e das frustrações da vida. Talvez você gaste energia excessiva com as críticas que recebe e com coisas que prejudicam o encanto pela vida. Desperte!

*V*amos continuar a ver as suas peripécias para fecundar o óvulo e se tornar um ser humano. Conhecer os perigos enormes que você correu e as façanhas que você fez para estar vivo hoje é fazer um laboratório de auto-estima. Você sabia que, no começo da vida, não apenas foi o maior alpinista da História, mas também o maior nadador do mundo?

*V*ocê nadou sem barco de apoio, bússola ou outra tecnologia para fecundar o óvulo. E, além disso, tinha de atingir um ponto minúsculo sem ter o mapa do alvo. Imagine sair a nado da Europa até os EUA e atingir um alvo pequeno como um ovo de páscoa. Sua pontaria foi incrível! Você bateu todos os recordes imagináveis de nado livre.

$\mathcal{V}$ocê deveria estar nas páginas do livro dos recordes. Por isso, nunca diga que você não realizou nada de extraordinário. Se você se distraísse, perderia a disputa. Se desistisse, morreria. Seu destino era vencer. No início você era apenas uma célula. Mas, em seguida, ela se dividiu e, em poucos dias, desdobrou-se em milhões.

$\mathcal{N}$a lógica da vida dividir é aumentar. Dividir as conquistas multiplica a felicidade. Siga sempre a lógica da vida. Você foi tecido de modo assombrosamente maravilhoso no ventre de sua mãe. Nem todos os computadores do mundo unidos são tão complexos como você. A ciência é uma criança para explicar o espetáculo da vida que pulsa em seu ser. Nunca despreze a vida.

*V*ocê cresceu no útero materno e foi envolvido numa bolsa de líquido amniótico. Era uma deliciosa piscina. Nela, você movia-se sem parar. Virou mais de quinhentas cambalhotas e chutou mais de mil vezes por dia sua mãe. Você era muito travesso, mas sua mãe o achava lindo. Você foi o maior chutador e o maior malabarista do mundo.

$\mathcal{M}$as o útero era um mundo pequeno demais para as suas aspirações. Então você se encaixou no colo uterino e esperou cada minuto até que alguém abrisse a porta. Se pudesse, gritaria: "Me dêem passagem!" Você era decidido. Já havia vencido a grande corrida da vida, agora mostrava uma coragem arrebatadora para entrar no jogo social.

*H*oje você procura lugares calmos e sem tumultos, naquela época ninguém o seguraria na barriga de sua mãe. Queria dar a cara ao mundo. De repente... Incrível! Abriram a porta. Você nasceu! Todavia, espere! O mundo começou a desabar sobre você. Aspiraram seu nariz, te amassaram, a luz agrediu seus olhos. Você suspirou: "Que sufoco!"

*S*ó lhe restava abrir a boca e berrar! Todos diziam: "Que choro lindo!" Mal sabiam que você estava expressando: "Devolvam-me para onde eu estava!" O choro o aliviou. Chorar foi a primeira coisa que aprendemos no mundo e foi a primeira que represamos. Não tenha medo de chorar. Os grandes homens também choram...

$\mathcal{N}$os primeiros meses, você não sabia falar uma palavra, mas todos queriam falar com você. Mas, quando aprendeu a falar e precisava que alguém o ouvisse, quase todos se calaram. Sem o diálogo, nossas histórias não se cruzam, ficamos ilhados em nossas emoções. Mas, infelizmente, o diálogo é uma ferramenta que está morrendo nas sociedades modernas. Que mundo estranho!

$\mathcal{D}$e fato, esse mundo é incompreensível. Quando as crianças nascem elas são especiais, o centro do mundo, mas pouco a pouco muitos adultos as deixam na periferia de suas vidas. Os beijos e as carícias evaporam-se. Os pais trabalham para o futuro dos seus filhos, querem lhes dar o mundo, mas não têm tempo para dar a si mesmos. Eles precisam ter uma alma de criança para penetrar no mundo das crianças.

*A*o nascer, a memória de uma criança parece uma esponja, absorve tudo, arquiva inúmeras experiências. Foi assim que aconteceu com você. Nos computadores, o registro das informações depende de um comando. Na memória humana, ele é automático e involuntário, produzido pelo fenômeno RAM (Registro Automático da Memória). O fenômeno RAM se tornou o artesão de sua inteligência.

*D*iariamente, milhares de pensamentos e emoções foram registrados. As experiências com grande volume emocional foram arquivadas privilegiadamente. Desse modo, o medo, carinho, rejeição, correção, apoio foram tecendo a colcha de retalhos de sua memória consciente e inconsciente. Cuidar do que você arquiva é acarinhar a sua vida. Você sabe cuidar de si mesmo?

*M*últiplos fenômenos foram lendo sua memória e produzindo milhares de pensamentos diários que foram registrados novamente, num ciclo contínuo. E você, sem perceber e sem ninguém lhe ensinar, aprendeu a entrar na sua memória e, em meio a bilhões de opções, resgatar os verbos, os substantivos, os adjetivos e produzir as cadeias de pensamentos. Sua mente é insondável, mas talvez você nem perceba.

*S*em saber o endereço de uma pessoa, é possível encontrá-la em São Paulo ou em Nova York. Talvez demore anos para achá-la. Mas como você encontra, em frações de segundos, as informações na "grande cidade da memória" sem saber seus endereços? E como as organiza para produzir milhares de idéias? Sua inteligência é um mistério. Encante-se com ela. Jamais duvide que você possui uma biografia espetacular.

*D*epois de arquivar milhões de pensamentos na sua memória, surgiu algo ainda mais fantástico: a consciência. Milhões de livros são insuficientes para explicá-la. Através dela descobrimos que temos um "eu" e que somos um ser exclusivo no teatro da vida. Através dela construímos as relações sociais, amamos, sentimos falta das pessoas e procuramos romper nossa bolha de solidão.

A personalidade foi, assim, confeccionada de maneira multifocal e bela. Se você é negativista, inseguro, corajoso, sonhador, isto se deve à história escrita em sua memória. Você interpreta o mundo pelas janelas da sua história. Ela contém milhares de arquivos com bilhões de informações. Você não pode deletar a sua memória, nem as experiências dolorosas nem as prazerosas. Ela só pode ser reescrita. Como?

$\mathscr{A}$plique a técnica do DCD (duvide, critique e determine). Duvide de tudo aquilo que controla sua emoção e conspira contra sua vida. Critique cada pensamento negativo. Critique a passividade do "eu". Critique seu conformismo e reflita sobre as causas de seus conflitos. Determine ser alegre, seguro, feliz. Dê um choque de lucidez em sua emoção, arquive novas experiências! Seja autor e não vítima de sua história.

O homem é líder do mundo em que está, mas não é líder de seu mundo psicológico. A técnica do DCD deve ser feita diariamente com emoção e realidade e durante pelo menos seis meses. Ela contribui para reeditar o filme do seu inconsciente. Você não pode apagar o filme de sua vida, mas pode reeditá-lo. Não há milagre para mudar a personalidade, mas é possível treinar a emoção para ser feliz.

$\mathcal{A}$o longo da formação da personalidade nos tornamos seres que pensam e que podem mudar a nossa história, privilégio indizível da espécie humana. Somos uma espécie inteligente num universo desconhecido. Só não se encanta com a vida quem está sufocado por preocupações, atolado com suas atividades e não consegue ver além da cortina das suas dificuldades.

Cada ser humano possui um mundo único no palco da sua alma e espírito. Descubra-o. Reis e súditos, miseráveis e abastados são igualmente ímpares. Acima de sermos negros, brancos, árabes, judeus, americanos, somos uma única espécie. Quem almeja ver dias felizes precisa aprender a amar a sua espécie tanto quanto o seu grupo social.

Se você amar profundamente a espécie humana, estará contribuindo para provocar a maior revolução social da História. Estamos perdendo o instinto de espécie. Temos culturas e habilidades distintas, mas somos iguais no funcionamento da mente. Até as crianças deficientes mentais são tão complexas quanto os intelectuais. A diferença está apenas na reserva da memória.

*P*or isso, toda discriminação é insana e inumana. Nunca se diminua ou se considere superior a alguém. Estenda as mãos, a partir de hoje, para as pessoas que pensam diferente de você. Você também comete erros e nem sempre é fácil suportá-los. Seja um sábio, reconheça seus erros e não se esconda atrás da sua rigidez e de seus julgamentos.

*H*á dois tipos de sabedoria: a inferior e a superior. A sabedoria inferior é dada pelo quanto uma pessoa sabe e a superior é dada pelo quanto ela tem consciência de que não sabe.

Tenha a sabedoria superior. Seja um eterno aprendiz na escola da vida. A sabedoria superior tolera, a inferior julga; a superior alivia, a inferior culpa; a superior perdoa, a inferior condena.

*S*em o perdão, o monstro do passado eclodirá em seu presente e controlará seu futuro. Qual é a melhor forma de enfrentar um inimigo? É perdoá-lo.

A palavra-chave para perdoá-lo não é tentar perdoá-lo, mas compreendê-lo. Ao compreendê-lo, você o perdoa. Se o perdoa, ele morre dentro de você e renasce de outra forma. Caso contrário, seu inimigo dormirá com você...

$\mathcal{S}$e alguém lhe bloquear a porta, não gaste energia com o confronto, procure as janelas. Lembre-se da sabedoria da água: "A água nunca discute com seus obstáculos, mas os contorna."

Quando alguém o ofender ou o frustrar, "você" é a água e a pessoa que o feriu é o obstáculo! Contorne-o sem discutir. Aprenda a amar sem esperar muito dos outros.

*P*roteja sua emoção. Filtre as agressividades e as incompreensões geradas pelos que o rodeiam. A emoção é a parte mais frágil da alma humana e, paradoxalmente, é a que mais tem proteção.

Se você permitir, uma crítica o destruirá. Mas, se você se proteger, um milhão de ofensas não o afetarão. Não faça de sua emoção uma lata de lixo social.

Não gravite em torno dos seus insucessos. É impossível evitar algumas derrotas. Quando for derrotado, saiba que não existe o fundo do poço para a inteligência humana, há sempre uma saída que você não enxerga. Aprenda a caminhar pelas vielas do seu ser para encontrá-la. Nosso mundo está dentro da casca de uma noz. Rompa-a e veja as oportunidades pulsando lá fora. Areje sua emoção.

*T*odavia, se você estiver desanimado, zerado de auto-estima, frustrado com tudo e com todos que o cercam, gostaria que soubesse de mais uma façanha vivida por você no maior concurso do mundo, a mais poética de todas. Você sabia que viveu o maior romance da História? Quando? Espere um pouco, deixe-me falar sobre Shakespeare.

O grande dramaturgo e poeta inglês William Shakespeare destilava emoção em seus textos. Ele passeava pela alma humana enquanto escrevia. Ele escreveu o drama de Romeu e Julieta, um fascinante par romântico que foi impedido de se amar. O amor entre esses jovens retrata o mundo belo e inexplicável da emoção.

*T*alvez Shakespeare tenha baseado seu famoso drama em um casal de jovens de Verona, na Itália. Lá existe a casa de Julieta, aberta à visitação pública. Milhares de turistas vão anualmente a esse ardente cenário romântico. As mulheres japonesas, americanas, alemãs, brasileiras posam para fotos na sacada. Todo mundo quer viver um grande romance.

$\mathcal{V}$ocê já viveu um grande romance na vida? Nunca diga que não! Você viveu o maior romance do planeta e foi correspondido. Seu romance era genético, instintivo e incontrolável. Nem Hollywood filmou um romance tão dramático como o seu. Quando? Você era o Romeu-espermatozóide, profundamente solitário e apaixonado pela Julieta-óvulo.

*U*m mundo de obstáculos havia entre você e sua amada. Contudo, a vida só teria sentido se você a encontrasse e se unisse a ela. Só assim você seria um ser completo. Você cometeu loucuras de amor para viver esse romance. Nunca alguém foi tão apaixonado pela vida como você. Nunca alguém teve uma auto-estima tão sólida.

Quando você encontrou sua Julieta, ainda não tinha uma inteligência, apenas a memória genética. Mas, se conseguisse pensar, talvez dissesse a ela: "Fui pisoteado, pressionado e esmagado. Escalei montes altíssimos, nadei oceanos, corri enormes perigos para encontrá-la. De hoje em diante, eu e você seremos um. Jamais desistirei da vida, a amarei para sempre!"

O tempo passou e hoje é provável que você não seja tão apaixonado pela vida. As dificuldades surgiram, a fadiga bateu-lhe à porta, o medo roubou-lhe a paz e a ansiedade assaltou-lhe a alegria. Suas atividades sociais, conta bancária e tensões profissionais entulharam a sua emoção. Seus sorrisos já não são tão espontâneos e nem freqüentes.

*T*alvez você esteja tão ocupado que nem ache tempo para dialogar consigo mesmo. É provável que você cuide de todo mundo, mas tenha se esquecido de você mesmo. Talvez seja bom você fazer um *"stop* introspectivo"*:* pare e repense seriamente o que você tem feito com sua vida. Será que você não se auto-abandonou?

*V*ocê faz faxina em seu escritório, em sua bolsa, em sua casa, mas não faz uma faxina em tudo que perturba a sua alma. Você não desliga sua mente, não gerencia seus pensamentos e vive fazendo o velório antes do morto. O que significa isso? Significa sofrer por antecipação, viver problemas que ainda não ocorreram e que talvez nem ocorram.

A vida já tem suas complicações e, como sua mente está continuamente agitada, você a complica ainda mais. Se esse for seu caso, você está com a mais comum e moderna síndrome psíquica: a síndrome SPA, a síndrome do pensamento acelerado. Quando pesquisei essa síndrome, descobri que nem sempre ela representa uma doença psíquica, mas um estilo doentio de vida. Como está seu estilo de vida?

*A*s características dessa síndrome são: pensamento acelerado, fadiga excessiva, irritação, déficit de concentração, déficit de memória, insatisfação, humor flutuante, etc.

Muitos cientistas não percebem, mas o ritmo de construção do pensamento do homem moderno acelerou-se de um século para cá. As causas? O excesso de informações, estímulos, estresse e preocupações sociais.

Como você não gerencia e aquieta seus pensamentos, seu cérebro começa a protegê-lo. Como? Desligando-o. Sua memória fica péssima. E você e alguns médicos desinformados começam a achar que você está com alterações cerebrais. Na realidade, nosso cérebro tem mais juízo do que nós mesmos. Ele fecha as janelas da memória para pensarmos menos e gastarmos menos energia.

*S*erá que, devido à síndrome SPA, você não envelheceu no único lugar em que não é permitido envelhecer, no território da emoção? Será que você não se aprisionou no único lugar em que deveria ser livre, no palco de sua mente?

Se estiver se sentindo velho e aprisionado, não desanime, pois o destino não é um fato inevitável, mas uma questão de escolha. Opte por libertar-se do cárcere da emoção.

Quanto pior for a qualidade da educação, mais relevante será o papel da psiquiatria no terceiro milênio. No mundo todo, a educação passa pelo caos. O reflexo disso é grave: nunca tivemos uma indústria do lazer tão diversificada, tais como a TV, o esporte, os parques de diversões, a internet, mas o homem nunca foi tão triste e sujeito a tantas doenças emocionais.

Entretanto, jamais diga: "O que estou fazendo neste mundo maluco? Não pedi para nascer!" Não é verdade. Você "optou" por nascer. Você não foi fruto passivo do seu pai e da sua mãe. Você "implorou" para nascer, lutou para nascer, batalhou para ter o direito à vida. A vida lhe pertence, você decidiu geneticamente por ela. Agora, precisa decidir intelectualmente por ela. Nunca desista da vida!

Você não foi clonado. Você conquistou a maior disputa da História. Você correu todos os riscos do mundo para estar vivo. Isso faz uma diferença enorme. Você poderia ter sido um derrotado, mas venceu o mais arriscado concurso do universo.

*L*embre-se sempre de que no início da sua história você era fragilíssimo e solitário, mas foi um gigante. Agora você adquiriu uma fantástica inteligência e enormes habilidades e, além disso, possui pessoas que o amam e que você ama. Portanto, mais do que nunca, você tem todos os motivos para superar suas barreiras e vencer suas dores emocionais. O medo da dor as aumenta. Enfrente-as!

Entretanto, se por qualquer motivo sentir que o mundo está desabando sobre você e que a carga dos seus problemas está insuportável, gostaria que refletisse sobre o que teria acontecido se você tivesse perdido a grande corrida pela vida. Pense! Por um lado, você estaria livre de todas as suas dificuldades. Não entraria em desespero, não choraria, não ficaria frustrado.

*M*as, por outro lado, estaria banido para sempre das páginas da vida. Ninguém notaria sua falta, pois você não existiria. Não teria um amigo para dialogar, pais para amar, filhos para beijar, pessoas complicadas para lhe dar lições de vida. Não teria ouvidos para apreciar uma música nem olhos para observar as flores. Outra pessoa estaria lendo este livro.

*D*iante disso só lhe resta fazer uma coisa: amar a vida e ter coragem para vivê-la, mesmo que em alguns períodos você esteja cansado e transtornado. Nunca se esqueça de que o maior carrasco do homem é o próprio homem. Ninguém pode ferir mais você do que você mesmo. A vida é bela e delicada. Cuide carinhosamente dela.

$\mathcal{S}$e você é uma criança, não queira crescer rapidamente. Se quiser ser um adulto feliz, você precisa ser uma criança feliz. Se quiser ser feliz, desligue um pouco a TV e aprenda a brincar, sorrir, correr e viver intensas emoções. A vida adulta é muito séria e tem muitas ansiedades, por isso aproveite o tempo da ingenuidade. Curta seus amigos, role no tapete com seus pais, beije-os, toque-os.

*S*e você é um adolescente, não viva numa crise crônica de insatisfação. Honre a sua inteligência, aprenda a fazer muito do pouco e a amar aquilo que você tem. Dê mais valor ao conteúdo do que à embalagem e não fique colocando defeitos em seu corpo. Rebele-se contra o padrão de beleza expresso pela mídia. Seja feliz do jeito que você é. A beleza está nos olhos de quem a vê...

Se você é um adulto, não aja por instinto como agiu no começo da vida. Aprenda a expor e não impor as suas idéias. Treine ser eficiente, lúcido e trabalhar em equipe. Mas não viva para trabalhar – trabalhe para viver. Faça coisas fora da sua agenda que promovam seu prazer de viver e sua tranqüilidade. Que adianta você ser o mais rico do cemitério?

Se você é uma pessoa idosa, deixe a sabedoria vestir a sua inteligência. Não tenha medo do fim da existência. A vida é apenas uma gota na perspectiva da eternidade. Viva cada minuto como um momento inesquecível. Não deixe o medo ser seu mestre. O medo é um péssimo matemático. Ele sempre aumenta e distorce a realidade. Aposente-se de seu trabalho, mas não aposente sua inteligência.

*T*emos que aproveitar as oportunidades que a vida nos oferece. Precisamos encontrar os oásis em nossos desertos. Os perdedores vêem os raios. Os vencedores vêem a chuva e com ela a oportunidade de cultivar. Os perdedores paralisam-se diante das perdas e dos fracassos. Os vencedores vêem uma oportunidade para começar tudo de novo.

*P*or isso desejo que você seja um grande empreendedor. E, quando empreender, não tenha medo de cometer falhas. E, quando cometê-las, não tenha medo de reconhecê-las. E, quando reconhecê-las, não tenha medo de chorar. E, quando chorar, não tenha medo de reavaliar a sua vida. E, quando reavaliá-la, não esqueça de dar sempre uma nova chance para si mesmo.

*V*ocê nasceu vencedor. Hoje, vencer não é deixar de cometer erros e falhas, mas reconhecer nossos limites e corrigir nossas rotas. Vencer é não desistir. Espero que você se lembre sempre de que este livro relata uma parte preciosa da sua biografia, silenciosa, mas real. Quando foi dada a largada da grande corrida da vida e o relógio do tempo começou a contar a sua existência, você brilhou.

*B*rilhou tanto, que merecia o Oscar, o Nobel e todos os prêmios do mundo que promovem a criatividade, a competência e a perseverança. Mas tudo isso era pequeno para premiá-lo. Então entrou em cena um ser especial, o Autor da existência, Deus, do qual ouvimos muito falar e conhecemos tão pouco. Ele observou sua capacidade de lutar. E, por fim, o premiou com o maior de todos os prêmios: O MILAGRE DA VIDA.

S ó A VIDA poderia. ser o prêmio do maior alpinista da História, do maior nadador do mundo, do maior teimoso da Terra e daquele que viveu o maior romance de todos os tempos.

$\mathcal{V}$ocê é uma pessoa forte e especial. Superar um câncer, uma crise emocional, uma crise financeira, um transtorno profissional, um conflito de relacionamento é uma tarefa fácil comparada às turbulências que enfrentou para conquistar a vida que pulsa dentro de você. Nunca se auto-abandone e nem jamais desista das pessoas que o rodeiam, por mais que elas, ocasionalmente, o decepcionem!

*N*ão importa a idade que você tem nem mesmo se é uma pessoa famosa ou vive no anonimato. Também não importa se você está passando por uma derrota ou está no auge do sucesso. Nem mesmo importa se, em algumas situações, você fica angustiado, tenso, desesperado e tenha que admitir que não estava certo.

O que importa é que você conquistou o direito de ser um ser humano, consciente, inteligente e livre. O que importa é que sua vida é mais importante do que todo o dinheiro do mundo e mais valiosa do que todos os aplausos das multidões.

O que importa é que, apesar de todos os obstáculos, sua vida é mais bela e complexa do que todas as estrelas do céu. Ela é o maior espetáculo do mundo, a obra-prima do Criador.

E por ter uma biografia tão magnífica, desejo que você continue lutando pelos seus sonhos, se apaixonando cada vez mais pela vida, amando intensamente os seus íntimos, conquistando novos amigos e sendo uma pessoa de grande utilidade para a sua sociedade.

*T*raga sempre em sua memória que, ainda que você freqüente filas no banco, no trânsito, no supermercado, você não é mais uma conta bancária nem um número de identidade ou de cartão de crédito.

*A*inda que você tenha vários defeitos, cometa alguns erros e, em alguns momentos, seja derrotado pela ansiedade, não há duas pessoas iguais a você no palco da vida. Se você não existisse, o universo não seria o mesmo.

*D*iante disso, que seja inesquecível que para o Autor da vida, para muitas pessoas que o conhecem e para mim, que escrevi parte de sua biografia neste livro, você não é mais uma pessoa na multidão. Todos nós consideramos você...

UM

SER-HUMANO
INSUBSTITUÍVEL.

Sobre o autor

Augusto Jorge Cury é psiquiatra, cientista e autor de *Inteligência Multifocal* (Editora Cultrix), *Treinando a Emoção para Ser Feliz* (Academia de Inteligência), do qual alguns dos textos deste livro foram inspirados, e dos livros da coleção *Análise da Inteligência de Cristo* (Academia de Inteligência).

É também o fundador da Academia de Inteligência, um instituto que promove o treinamento de psicólogos, educadores e profissionais de recursos humanos.

Para entrar em contato com o autor, escreva para:
jcury@mdbrasil.com.br

Para maiores informações sobre o seu trabalho:

Academia de Inteligência – Tel.: (017) 3342-4844
e-mail: academiaint@mdbrasil.com.br
www.academiadeinteligencia.com.br

Outros títulos do autor

PAIS BRILHANTES, PROFESSORES FASCINANTES
(lançamento: outubro 2003)

DEZ LEIS PARA SER FELIZ

Este livro traz ferramentas essenciais para quem quer encontrar esperança na dor, força no medo e amor nos desencontros. Ser feliz é uma conquista e não obra do acaso.

REVOLUCIONE SUA QUALIDADE DE VIDA

As pessoas não se dão conta das pequenas mudanças que destroem seus relacionamentos, metas, carreira, saúde física e emocional. Neste livro, você vai aprender a gerenciar seus pensamentos, trabalhar suas perdas, se tornar líder de si mesmo e ser feliz.

Outros livros de bolso da Sextante

- A Vida É Bela *de Dominique Glocheux*
- Palavras de Sabedoria *de S.S., o Dalai-Lama*
- Quando me Amei de Verdade *de K. McMillen*
- Ioga no Trabalho *de Darrin Zeer*
- Levando a Vida numa Boa *de Ernie Zelinski*
- Amor de A a Z *de Rose Marie Muraro*
- 1001 Razões para Gostar do Brasil *de M. Camacho*

Para receber informações sobre nossos próximos lança-
mentos, entre em contato conosco ou visite nosso site:

EDITORA SEXTANTE
Tel.: 0800-22-6306 (ligação gratuita)
E-mail: atendimento@esextante.com.br
www.sextante.com.br